Ciekawe dlaczego

Wschodzi Słońce

i inne pytania na temat czasu i pór roku

Brenda Walpole

Tytuł oryginału: The Sun Rises

Published by arrangement with Kingfisher Publication plc.
© for the Polish translation by Joanna Pokora
© for the Polish edition by Firma Księgarska Jacek i Krzysztof
Olesiejuk „Inwestycje" Sp. z o.o.

ISBN 83-89677-98-9

Autor: Brenda Walpole
Ilustracje: Susanna Addario 10-11; Peter Dennis (Linda Rogers) 4-5;
Chris Forsey okładka, 6-7, 20-21; Terry Gabbey (AFA) 16-17, 24-25;
Craig Greenwood (Wildlife Art Agency) 12-13; Christian Hook
26-27; Biz Hull (Artist Partners) 14-15, 22-23, 30-31;
Tony Kenyon (B.L. Kearley) kreskówki; Nicki Palin
18-19; Ian Thopson 8-9, 28-29.

Przygotowanie do druku: K&OLECH
Druk: Drukarnia Legra Sp. z o.o., Warszawa

Wydawca: Firma Księgarska
Jacek i Krzysztof Olesiejuk
„Inwestycje" Sp. z o.o.
01-217 Warszawa
ul. Kolejowa 15/17

SPIS TREŚCI

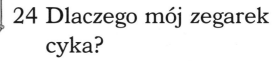

Dlaczego rano wschodzi Słońce?

Słońce tak naprawdę wcale nie wschodzi! To Ziemia obraca się i dlatego każdego ranka pokazuje się Słońce. Ziemia jest jak obracająca się piłka. Gdziekolwiek jesteś, jasno robi się, kiedy twoja część Ziemi kieruje się w stronę Słońca. Wtedy rozjaśnia się niebo i rozpoczyna się nowy dzień.

● Każdego ranka Słońce pokazuje się na wschodzie. Jego światło wcześnie rano budzi zwierzęta. Rozpoczyna się nowy dzień.

● Starożytni Grecy wierzyli, że Słońce było bogiem, który nazywał się Helios i jeździł po niebie na rydwanie z płomieni.

● Nawet kiedy jest pochmurnie i ponuro, za chmurami zawsze świeci Słońce.

Dlaczego nocą robi się ciemno?

Ziemia obraca się przez cały czas. W dzień Słońce zdaje się wędrować po niebie. Kiedy mijają godziny, twoja część Ziemi przesuwa się coraz dalej od Słońca. Wydaje się wtedy, że Słońce zatapia się w niebie i robi się ciemno. W ten sposób zaczyna się noc.

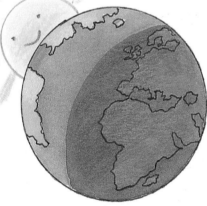

● Ziemia potrzebuje 24 godzin, żeby obrócić się wokół własnej osi. Kiedy na jednej półkuli jest dzień, na drugiej jest noc.

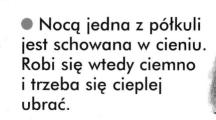

● Nocą jedna z półkuli jest schowana w cieniu. Robi się wtedy ciemno i trzeba się cieplej ubrać.

Gdzie przez cały dzień jest noc?

Zimą tereny znajdujące się w okolicach biegunów wcale nie widują słońca. Słońce jest wtedy tak nisko na niebie, że chowa się za horyzontem. Dlatego w ciągu dnia jest zimno i ciemno – nawet w południe.

● Po ciemnych zimowych dniach, cudownie jest znowu zobaczyć słońce. Eskimosi w Ameryce Północnej świętowali kiedyś powrót słońca, zapalając w swoich domach nowe lampy.

● Latem na biegunach jest zupełnie inaczej! Słońce świeci rano, po południu i w nocy. Dla fok to musi być jak spanie przy włączonym świetle.

● W północnej części Skandynawii zimowe dni są ciemne. W Sami lub Lapp dzieci chodzą do szkoły przy świetle księżyca i gwiazd.

● Niektórzy są tak smutni w te ciemne dni, że chorują. Lekarze nazywają to syndromem smutku i zalecają swoim pacjentom naświetlanie lampami.

Gdzie wszystkie dni rozpoczynają się punktualnie?

W tropikalnych krajach niedaleko równika słońce wschodzi prawie zawsze o tej samej godzinie dnia i zachodzi prawie o tej samej porze każdego wieczoru! Dni i noce trwają po mniej więcej 12 godzin – każdego dnia w roku.

Dlaczego są różne pory roku?

Różne pory roku są dlatego, że Ziemia obraca się lub krąży po orbicie wokół Słońca. Każde okrążenie trwa rok.

Podczas krążenia po orbicie najpierw jeden, a potem drugi biegun Ziemi przechylony jest w kierunku Słońca. W ten sposób zmieniają się pory roku.

4 We wrześniu żadna z półkuli nie jest nachylona w kierunku Słońca. Na północy jest wtedy jesień, a na południu wiosna.

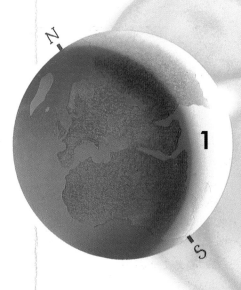

1 W grudniu biegun północny jest odchylony najdalej od Słońca. Wtedy na północnej półkuli panuje zima. Z kolei na południowej półkuli jest lato.

● Podczas krążenia po orbicie Ziemia obraca się wokół własnej osi. Nie obraca się ona jednak w pionie, tylko jest lekko nachylona w jedną stronę.

● Na przeciwległych półkulach są różne pory roku. W zależności od tego, gdzie jesteś, gdy ubierzesz się w kostium kąpielowy, możesz albo zmarznąć na kość, albo się opalić.

3 W marcu żaden z biegunów nie jest nachylony w stronę Słońca. Wtedy na północy jest wiosna, a na południu jesień.

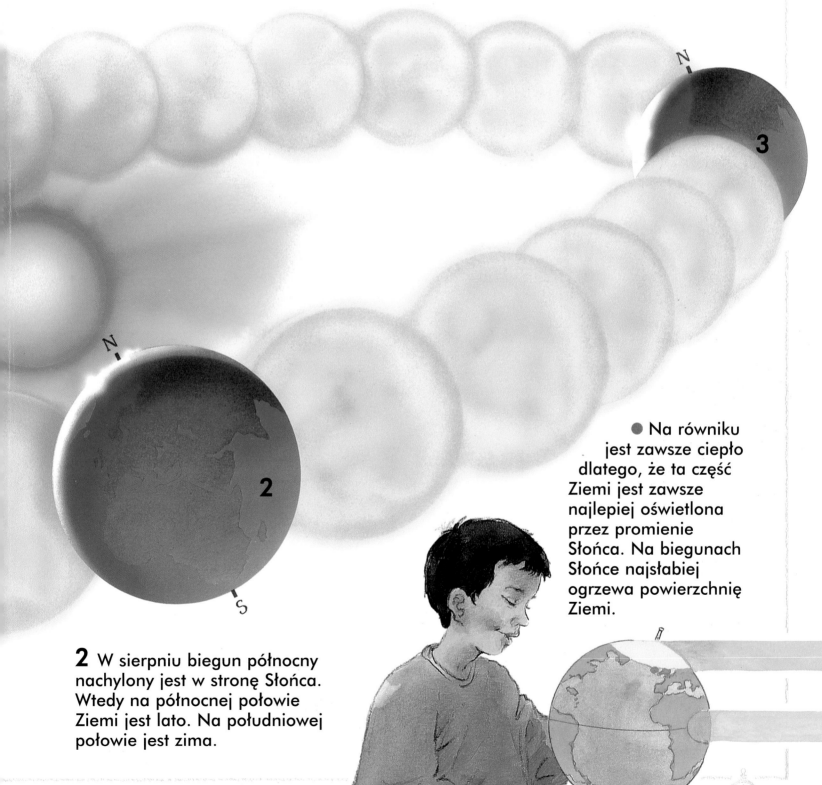

● Na równiku jest zawsze ciepło dlatego, że ta część Ziemi jest zawsze najlepiej oświetlona przez promienie Słońca. Na biegunach Słońce najsłabiej ogrzewa powierzchnię Ziemi.

2 W sierpniu biegun północny nachylony jest w stronę Słońca. Wtedy na północnej połowie Ziemi jest lato. Na południowej połowie jest zima.

Dlaczego rośliny sadzi się wiosną?

Nasiona muszą mieć ciepło i wilgoć, żeby mogły wykiełkować. Kiedy słońce zaczyna ogrzewać glebę, rolnicy i ogrodnicy zaczynają ją kopać i sieją w niej nasiona. Niewiele później wyrastają z nich rośliny.

● Pszczoły rozróżniają na płatkach roślin wzory i kolory, których my nie widzimy. Są one dla pszczół sygnałami do lądowania, jak dla samolotów światła na pasach startowych.

Dlaczego pszczoły pracują przez całe lato?

W ciepłe i słoneczne dni pszczoły odwiedzają setki kwiatów. W każdym kwiatku jest kropla słodkiego jak cukier nektaru. Pszczoły karmią się tym nektarem, a w ulach robią z niego miód.

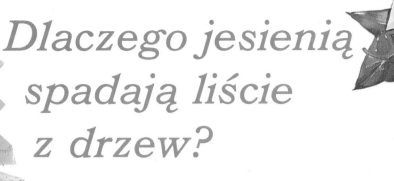

Dlaczego jesienią spadają liście z drzew?

Jesienią drzewom jest trudniej chłonąć wodę z zamarzniętej ziemi. Dlatego ich liście wysychają, robią się czerwone, złote i brązowe. Spadają na ziemię, a drzewa przez zimę są nagie. Wiosną na drzewach wyrosną nowe liście.

● Nie wszystkie drzewa gubią liście. Drzewa iglaste mają silne igiełki, które radzą sobie z mrozem.

Dlaczego zwierzęta zapadają w sen zimowy?

Dla niektórych zwierząt spanie jest najlepszym sposobem na przetrwanie głodnych zimowych dni. Wiewiórki, jeże i niektóre niedźwiedzie jesienią jedzą tyle, ile dadzą radę, a potem zasypiają w bezpiecznym miejscu i budzą się dopiero wiosną.

● Wielu zwierzętom zimą wyrasta grube futro, które osłania je przed strasznym mrozem.

Gdzie są tylko dwie pory roku?

W wielu tropikalnych krajach są tylko dwie pory roku. Jedna jest bardzo mokra, a druga bardzo sucha. Niewielu drzewom udaje się przetrwać suszę, a zwierzęta wędrują setki kilometrów w poszukiwaniu jedzenia i wody.

● Wiele zwierząt migruje w różnych porach roku. Każdego roku całe chmary motyli królewskich przelatują z Meksyku aż 3 tysiące kilometrów, żeby lato spędzić nad chłodnymi jeziorami w Kanadzie.

● Podczas suszy ziemia jest twarda i gorąca. Wszystko jest pokryte warstwą pyłu.

● W czasie suszy stada dzikich zwierząt wędrują po łąkach centralnej Afryki. Idą one w stronę deszczowych chmur, szukając wody i świeżej trawy.

● Tereny tropikalne znajdują się przy równiku. Są to najcieplejsze obszary Ziemi.

Gdzie przez cały miesiąc pada deszcz?

W niektórych częściach Indii i Azji południowo-wschodniej występują długie pory deszczowe. Duże czarne chmury nadciągają latem od strony morza. Pora deszczowa trwa całe tygodnie, a deszcz zalewa pola i ulice.

Kto potrafi powiedzieć bez zegarka, która jest godzina?

Wszyscy to potrafimy! W każdym z nas jest coś takiego, co nazywamy zegarem biologicznym. To on nas budzi rano i mówi, że jest czas na śniadanie. Przez cały dzień wiemy, kiedy jest czas na pracę, zabawę i jedzenie. Kiedy nadchodzi wieczór, robimy się zmęczeni i szykujemy się do spania.

● Noworodki nie odróżniają dnia od nocy. Po prostu budzą swoich rodziców, kiedy są głodne.

● Różne zwierzęta żyją według różnych zegarów biologicznych. Pszczoła i borsuk zapewne nigdy się nie spotkają. Pszczoła jest aktywna w ciągu dnia, a borsuk w nocy.

Czy kwiaty wiedzą, która jest godzina?

Niektóre kwiaty są tak dobrymi zegarami, że rozchylają swoje płatki codziennie dokładnie o tej samej godzinie. Ogrodnicy czasem sadzą takie kwiaty tak, żeby powstał kształt zegara. Kwiatów jest 12 i otwierają się pojedynczo co godzinę.

● Zwierzęta też mają zegary biologiczne. Zwierzęta w zoo i w oborach na wsi wiedzą, kiedy jest pora karmienia.

Czy zwierzęta wiedzą, która jest godzina?

Niektóre zwierzęta są aktywne w ciągu dnia, a inne tylko w nocy. Inne zwierzęta rozróżniają pory roku. Kanadyjskie zające wiedzą, kiedy nadejdzie zima. Futerko robi im się białe, żeby mogły schować się w śniegu przed lisami.

Który kalendarz był wyryty w skale?

Wiele setek lat temu w Ameryce Środkowej żyli ludzie, którzy nazywali się Aztekami. To oni zrobili kalendarz z wielkiego kamienia, który miał kształt słońca. Twarz boga słońca była wyryta w środku kamienia, a dookoła były wykute oznaczenia wszystkich dni.

Kto wynalazł nasz kalendarz?

Ponad 2000 lat temu rzymski władca Juliusz Cezar wynalazł kalendarz, którego używamy do dzisiaj. Obliczył, że każdy rok powinien mieć 365 dni i dzielić się na 12 miesięcy. Od tamtej pory kalendarz prawie w ogóle się nie zmienił.

● Zegar Azteków miał 4 metry szerokości – był zdecydowanie za duży, żeby powiesić go na ścianie!

Co to jest rok przestępny?

Co cztery lata mamy rok, który nazywa się rokiem przestępnym. Jest to rok, który ma 366 dni zamiast 365. Dodatkowy dzień dodaje się do końca lutego. Jeżeli masz urodziny 29 lutego, jesteś wyjątkowym szczęściarzem.

● Rok przestępny jest podzielny przez cztery. Lata 1996, 2000, 2004 są latami przestępnymi.

Do czego potrzebne nam są kalendarze?

Większość z nas potrzebuje kalendarza, żeby przypominał nam o wszystkich ważnych sprawach, które mamy zaplanowane na cały rok. Kalendarze przydają się nam również do mierzenia upływu czasu. Rozbitkowie i zakładnicy wynajdują najróżniejsze sposoby zaznaczania mijających dni.

Kto w Nowy Rok zapala lampy?

W Indiach Nowy Rok nazywany jest Festiwalem Świateł – i nic dziwnego! Miasta są obwieszone światełkami, a w każdym domu świecą lampy. Kobiety robią piękne obrazy na podłodze, używając do tego kolorowej kredy, piasku i mąki. Dekorują swoje obrazy świeczkami.

● W Chinach Nowy Rok świętuje się nawet przez 5 dni. Obchody rozpoczynają się między połową stycznia a połową lutego.

Kto Nowy Rok rozpoczyna uderzaniem w bębny?

W Chinach Nowy Rok rozpoczyna się uderzaniem w bębny i talerze, sztucznymi ogniami i tańcami lwów i smoków na ulicach miast. Cały ten hałas ma odpędzić złe dni z przeszłości i przynieść powodzenie w nadchodzących dniach.

18

● Hindusi nazywają swój Nowy Rok świętem Diwali. Diwali nie jest w styczniu, tylko w październiku lub listopadzie.

● W trakcie sylwestra w Ekwadorze i Afryce Południowej ludzie spalają na stosie Stary Rok! Jest to kukła zrobiona ze słomy.

Kto Nowy Rok rozpoczyna dęciem w róg?

Żydowski festiwal noworoczny, który nazywa się Rosh Hashanah, rozpoczyna się dęciem w podwinięty barani róg. Ten dźwięk wzywa ludzi do synagogi, żeby modlili się do Boga o przebaczenie za ich złe uczynki w mijającym roku. Z początkiem nowego roku mają szansę na nowy start.

Jak długi jest miesiąc?

Na dzisiejszych kalendarzach miesiąc może mieć od 28 do 31 dni. Jednak w przeszłości miesiąc trwał tyle dni, ile mijało od jednej pełni Księżyca do następnej. Każdy miesiąc miał dokładnie tyle samo dni, czyli 29,5.

● Księżyc jest ciemnym miejscem, gdzie nie ma życia. Świeci jasno tylko dlatego, że odbija promieniowanie słoneczne. To, co jest uważane za światło Księżyca, tak naprawdę jest światłem Słońca.

● Pewien utwór muzyczny niemieckiego kompozytora Beethovena został potocznie nazwany „Sonatą Księżycową". Podczas słuchania tego utworu, możemy sobie wyobrazić wschodzący Księżyc.

Dlaczego Księżyc zmienia kształt?

Księżyc tak naprawdę nie zmienia kształtu. Zmienia się tylko wielkość oświetlonej części Księżyca widocznej z powierzchni Ziemi. Kiedy Księżyc porusza się po swojej orbicie dookoła Ziemi, Słońce oświetla go z różnych kierunków. Najpierw wydaje się, że ta część, która jest oświetlona, robi się coraz większa, a potem coraz mniejsza.

● Pierwszym człowiekiem, który wylądował na Księżycu, był Neil Armstrong, amerykański astronauta, który brał udział w misji Apollo 11 w lipcu 1969 roku.

Kto zjada księżyc?

Chińskie dzieci jedzą pyszne ciastka w kształcie księżyca podczas festiwalu obserwowania Księżyca. W trakcie wrześniowej pełni całe rodziny idą do parków z latarenkami. Potem zjadają ciastka i podziwiają Księżyc!

Dlaczego tydzień ma siedem dni?

Nikt nie jest pewien, jak to się stało, że tydzień ma siedem dni. Możliwe, że wiele lat temu był to czas między jednym dniem targowym a następnym. A może była to jedna czwarta księżycowego miesiąca. Po upływie tych wszystkich lat wydaje się, że siedem dni w tygodniu jest akurat.

● Tydzień dzielimy na dnie pracujące i te, w które odpoczywamy. Po pięciu ciężkich dniach w szkole każdy z przyjemnością wita weekend!

Kiedy jest trzynasta godzina?

Oczywiście po godzinie 12! Do południa godziny są ponumerowane od 1 do 12. Po południu liczymy dalej: 13, 14... aż do 24.

● Starożytni Grecy mieli dziesięciodniowy tydzień. Musieli długo czekać na początek weekendu.

Jak długa jest minuta?

Minuta nie jest długa – jest to tyle czasu, ile potrzeba, żeby obrać jabłko! Każda minuta ma 60 sekund, a 60 minut to jedna godzina. Liczbę 60 wybrano już 5000 lat temu – może dlatego, że jest podzielna przez wiele innych liczb.

● Pierwsze zegary i zegary słoneczne pokazywały tylko godziny. Teraz ludzie potrzebują obliczać czas co do minuty – na przykład po to, żeby nie spóźniać się na pociąg.

Dlaczego mój zegarek cyka?

W twoim zegarku jest ukrytych ponad 20 malutkich kółeczek zębatych. Słychać je, jak cykają i tykają, kiedy zęby jednego kółka zahaczają o zęby innych kółek. Przesuwające się kółka odmierzają czas i przestawiają wskazówki zegarka.

Jak radzili sobie ludzie, zanim wynaleziono zegary?

Przed wynalezieniem zegarów ludzie określali, która jest godzina, obserwując słońce. Wstawali o wschodzie słońca i szli spać, gdy robiło się ciemno. Obiad jedli, kiedy słońce było wysoko na niebie, a kolację, kiedy było coraz niżej na zachodzie.

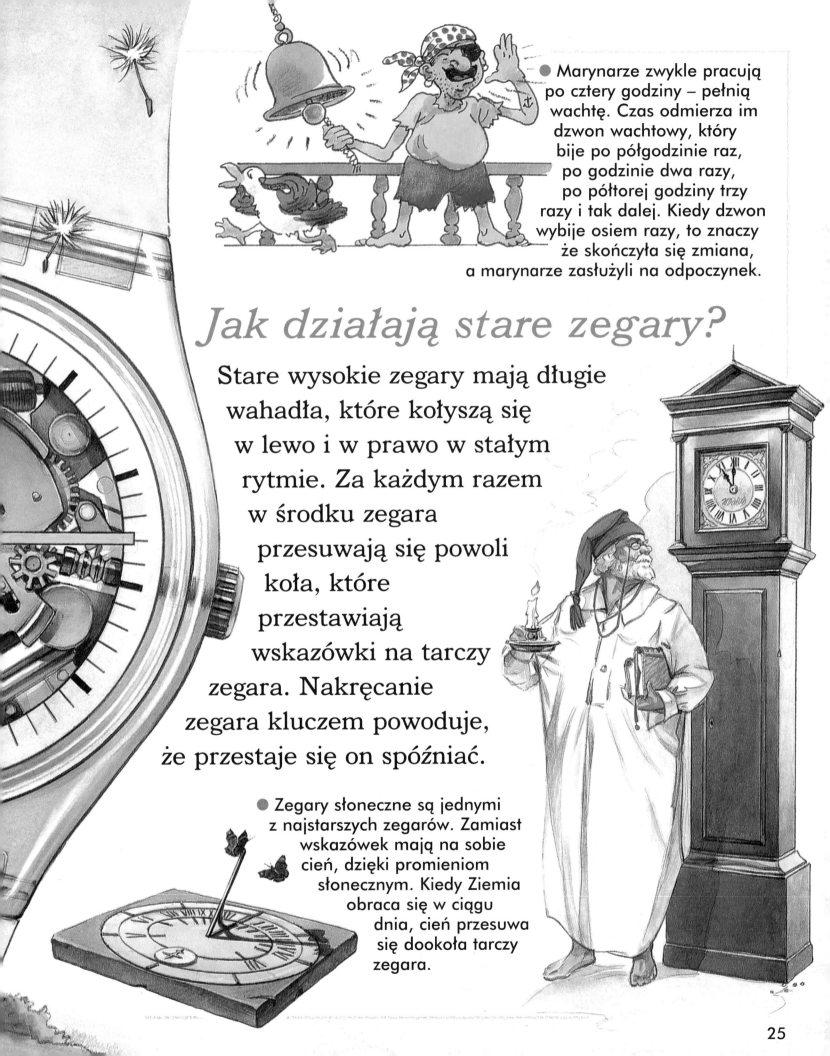

● Marynarze zwykle pracują po cztery godziny – pełnią wachtę. Czas odmierza im dzwon wachtowy, który bije po półgodzinie raz, po godzinie dwa razy, po półtorej godziny trzy razy i tak dalej. Kiedy dzwon wybije osiem razy, to znaczy że skończyła się zmiana, a marynarze zasłużyli na odpoczynek.

Jak działają stare zegary?

Stare wysokie zegary mają długie wahadła, które kołyszą się w lewo i w prawo w stałym rytmie. Za każdym razem w środku zegara przesuwają się powoli koła, które przestawiają wskazówki na tarczy zegara. Nakręcanie zegara kluczem powoduje, że przestaje się on spóźniać.

● Zegary słoneczne są jednymi z najstarszych zegarów. Zamiast wskazówek mają na sobie cień, dzięki promieniom słonecznym. Kiedy Ziemia obraca się w ciągu dnia, cień przesuwa się dookoła tarczy zegara.

Jak można obliczyć ułamek sekundy?

Dzisiejsze elektroniczne czasomierze są na tyle dokładne, że mogą odmierzać milionowe ułamki sekund. W trakcie zawodów zawodnikom mierzy się czas z dokładnością do setnych sekundy – to jest mniej czasu niż mrugnięcie okiem.

Jaki zegar był zrobiony z liny?

Około 400 lat temu prędkość statków była mierzona za pomocą kawałka drewna przyczepionego do liny. Marynarze wrzucali drewno do wody i liczyli, ile węzłów na linie zanurzało się w wodzie w czasie, kiedy statek płynął przed siebie. Żeby dokładnie to odmierzyć, używali klepsydry. Marynarze nadal odmierzają prędkość w węzłach. Jeden węzeł to niecałe 2 kilometry na godzinę.

● Muzycy używają hałaśliwie tykających przyrządów, zwanych metronomami, które pomagają im wyczuwać tempo utworu podczas grania. Orkiestry ich nie potrzebują – one mają swoich dyrygentów.

Jak ugotować jajko, wykorzystując piasek?

W klepsydrach piasek przesypuje się z góry na dół w ciągu czterech minut. I właśnie tyle czasu potrzeba, żeby ugotować jajko. Klepsydry są proste, dokładne i używane od setek lat. Kiedy klepsydra skończy odmierzać czas, wystarczy ją przestawić do góry nogami i można odmierzać dalej!

● Rowerzyści przyczepiają sobie do kół rowerów prędkościomierze, żeby wiedzieć, jak szybko jadą.

Która godzina jest na Ziemi?

To, która jest godzina, zależy od tego, gdzie jesteś! Dokładnie w tym samym momencie zegary w różnych częściach świata będą wskazywały zupełnie inną godzinę. Każdy kraj ustala swoją godzinę tak, żeby południe wypadało wtedy, kiedy słońce jest najwyżej na niebie. W ten sposób wszyscy wstają, kiedy zaczyna robić się jasno, i idą spać, kiedy jest ciemno.

Alaska, USA
Jest 7 rano. Początek nowego dnia.

● Podróżowanie ze zmianą strefy czasowej może zakłócić zegar biologiczny. Podróżujący samolotem wylatują z Londynu po śniadaniu i lądują w Ameryce na… śniadanie!

Nowy Jork, USA
Jest południe – czas na drugie śniadanie!

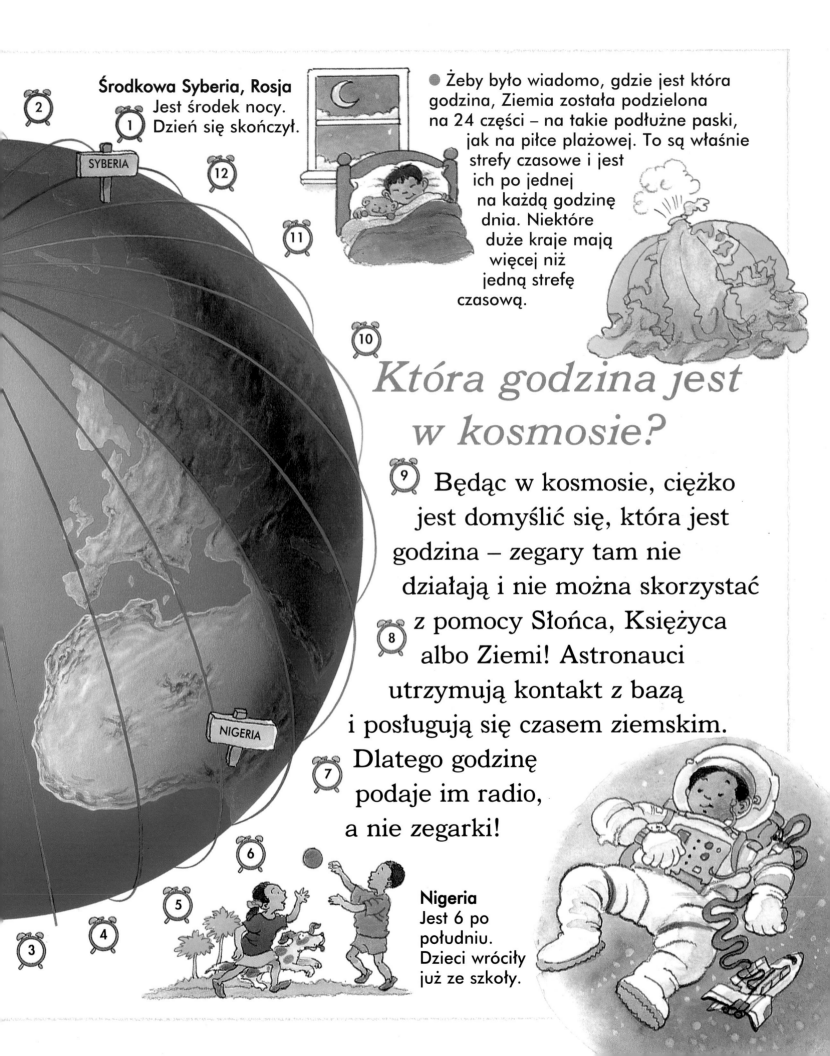

Środkowa Syberia, Rosja
Jest środek nocy.
Dzień się skończył.

● Żeby było wiadomo, gdzie jest która godzina, Ziemia została podzielona na 24 części – na takie podłużne paski, jak na piłce plażowej. To są właśnie strefy czasowe i jest ich po jednej na każdą godzinę dnia. Niektóre duże kraje mają więcej niż jedną strefę czasową.

Która godzina jest w kosmosie?

Będąc w kosmosie, ciężko jest domyślić się, która jest godzina – zegary tam nie działają i nie można skorzystać z pomocy Słońca, Księżyca albo Ziemi! Astronauci utrzymują kontakt z bazą i posługują się czasem ziemskim. Dlatego godzinę podaje im radio, a nie zegarki!

Nigeria
Jest 6 po południu.
Dzieci wróciły już ze szkoły.

Jak długo żyją ludzie?

Większość z nas będzie obchodzić 70. urodziny – oby w zdrowiu i pełni sił! Ludzie żyją mniej więcej tyle samo lat, co słonie, kruki i niektóre papugi!

● Większość kobiet żyje dłużej niż mężczyźni. Najstarsza kobieta miała 120 lat.

● Egipski król Tutanchamon umarł, gdy miał tylko 18 lat, ale jego grób przetrwał 3000 lat.

Jak długo żyją jętki?

Jętki żyją tylko jeden dzień. Rozkładają swoje skrzydła po raz pierwszy rano, a w nocy składają je po raz ostatni. Tyle czasu wystarcza im, żeby złożyć jaja, zanim umrą.

● Koty żyją około 15 lat. Myszy tylko dwa lata – i to pod warunkiem, że nie zostaną wcześniej złapane!

Jak długo żyją drzewa?

Drzewa rosną bardzo wolno i długo żyją. Większość drzew żyje od 100 do 250 lat, ale niektóre sosny mają nawet 4500 lat. Są to jedne z najstarszych żywych organizmów na Ziemi.

● Pień drzewa co roku staje się szerszy o jeden pierścień. Licząc pierścienie na pniaku, można określić, ile lat miało ścięte drzewo.

Indeks